VIENNE

GUIDE TOURISTIQUE AVEC PLAN DE LA VILLE ET DU METRO

VERLAG
bauer
WIEN

INTRODUCTION

J'aimerais commencer cette petite introduction sur une des villes d'Europe les plus complexes par un «Permettez-moi de vous baiser la main, Madame!», «A votre service!» et par un cordial «Bienvenue à Vienne!». De nombreuses influences ethniques, culturelles et poltiques ont fait de Vienne une place prépondérante irréfutable tant par le passé que dans le présent.

Sur le plan politique, Vienne se trouve à la frontière des pays de l'Est avec qui elle a toujours entretenu de bonnes relations. Pour s'en rendre compte, il suffit de jeter un œil sur l'annuaire de la ville avec ses nombreux noms slaves et hongrois. La ville constitue également une plaque tournante entre le nord et le sud de l'Europe. Le dialecte viennois comporte ainsi des mots italiens mais aussi des termes venus de Bohème et de Pologne. Un court résumé de l'histoire de la ville vous aidera à mieux comprendre ces rapports complexes.

Il y a bien longtemps, les Celtes s'établirent ici sur la route du commerce de l'ambre. Bien plus tard, les Romains installèrent le camps de «Vindobona» contre les Germains avant que les invasions barbares passent subitement par la cité et la rendent insignifiante. Ce n'est qu'en 881 que le nom «Wenia» réapparaît dans les annales de Salzbourg et révèle ainsi l'importance croissante de la région en tant que marche de l'empire carolingien et plus tard du Saint Empire Romain Germanique face à la menace des Avars et des Hongrois venus de l'Est. Les Babenberg deviennent comtes puis ducs de la marche «Ostarrichi». Vers 1155, ils font de Vienne leur résidence et publient en 1221 la plus ancienne constitution sur la ville qui ait été retrouvée. En 1246, le dernier des Babenberg tombe au combat contre les Hongrois et la dynastie s'éteint. La domination des Habsbourg débute avec l'évincement du roi Otakar II de Bohème par le roi des Romains Rodolphe Ier de Habsbourg. Le destinée de ce dernier est étroitement liée au développement de la ville. En 1365, le duc Rodolphe IV fonde l'université de Vienne.

Après que la progression turque sur l'Europe centrale a été arrêtée avec succès à deux reprises en 1529 et en 1683 près de Vienne, plus rien n'empêche le développement de la ville. L'esprit baroque et le règne intelligent de Marie-Thérèse (1740-1780) et de son fils Joseph II (1780-1790) font vivre à la ville une époque brillante sans pareille. Lukas von Hildebrandt et Johann Bernhard Fischer von Erlach donnent sa physionomie à la ville en construisant des églises et des palais somptueux. Haydn, Mozart, Gluck et plus tard Beethoven et Schubert justifient la réputation de Vienne comme capitale européenne de la musique. L'entrée de Napoléon provoque un léger déclin rapidement suivi d'une nouvelle époque brillante. En 1814/15, le Congrès de Vienne réunit à Vienne les principaux dirigeants européens. L'Europe est réorganisée et, lors de bruyantes fêtes, on entend souvent dire que «le Congrès ne marche pas, il danse!». Le valseur viennois devient une forme artistique.

A l'époque du «Biedermeier», les contrastes entre les riches bourgeois et les couches de population faisant l'objet d'une forte discrimination sont de plus en plus important et aboutissent à la révolution de 1848. L'empereur Ferdinand Ier doit abdiquer et François Joseph Ier, qui lui succède à l'âge de 18 ans, règne pendant 68 ans. Grâce à eux, des sommets tels que «l'ère dorée de l'opérette» (J. Strauß, F. von Suppé, C. Zeller, C. M. Ziehrer, K. Millöcker) sont atteints sur le plan culturel; Brahms,

Bruckner et Mahler composent à Vienne; dès 1857, le Ring est construit; la littérature et la peinture sont florissantes. Le nationalisme et le séparatisme commencent cependant à secouer cet état aux populations variées et finissent par provoquer une guerre mondiale (1914-1918) qui transforme radicalement l'Europe. En mourant avant la fin de la guerre (1916), François Joseph ne connaît pas la chute de la monarchie (1918). L'époque des anciens ordres en décadence et le regard mélancolique en arrière libèrent une force culturelle incroyable; l'école de médecine viennoise de Rokitansky et Billroth révolutionne l'hygiène publique du 19è siècle; Sigmund Freud crée la psychanalyse; des poètes comme H. Bahr, K. Kraus, A. Schnitzler, H. von Hofmannsthal et S. Zweig mettent à jour l'héritage de la monarchie; le café se transforme en place littéraire et l'Art nouveau change la face de Vienne. Otto Wagner contribue de manière déterminante à l'évolution urbaine (métro). Klimt est l'âme de la «Sécession» et pose, avec ses élèves Schiele et Kokoschka, la première pierre de l'art moderne autrichien. En musique, de nouvelles voies s'ouvrent avec Schönberg, Berg et Webern, pionniers du dodécaphonisme sériel.

Aujourd'hui, plusieurs dizaines d'années après les destructions de la Seconde Guerre mondiale, Vienne a changé en bien des points. Autrefois métropole d'un grand état, Vienne n'est plus aujourd'hui que la capitale du petit état neutre que constitue l'Autriche. La ville a cependant gardé son importance en matière de dialogue est-ouest et de relations internationales: Vienne est en effet le troisième siège permanent de l'ONU depuis 1979.

Vienne est connue dans le monde entier pour bon nombre de choses: Schön-brunn, le Belvédère, les musées, l'orchestre philharmonique, les petits chanteurs, le bal de l'opéra et le concert du nouvel an, les Festwochen et l'école d'quitation espagnole, la Sachertorte et les entremets. Pourtant, ces mots ne permettent pas de saisir le «typiquement viennois». Ils ne constituent que la façade derrière laquelle des contrastes tels que traditions vivantes, art de vivre et frénésie moderne, volonté d'innover et racines dans le passé bravent chaque cliché. Il est tout aussi difficile de décrire le Viennois typique. On dit en général qu'il est tolérant et charmant. La légende a essayé de le qualifier de «gentil Augustin», de bon vivant résistant à la peste et aux épidémies et qui, «armé» d'un verre de vin, se bat contre le destin et même la mort. En créant pour le théâtre «Monsieur Charles», artiste familier de la vie avec sa brutalité au pessimisme larmoyant, Qualtinger et Merz se montrent plus critiques. Quelle que soit la façon dont ils soient vus, les Viennois ont presque tout un point commun. Ils pestent volontiers contre Dieu et le monde et trouvent à redire à toutes choses, ils «ronchonnent» et se font plus volontiers passer pour des drôles de types ou des originaux que pour des gens médiocres. Ne confondez cependant pas «ronchonnement» et révolte! Bien au contraire! Le Viennois ne critique que ce qu'il aime.

Ce petit livre n'a pour but et pour intention, cher hôte, que de vous donner une vue d'ensemble sur l'essentiel et non sur le caractère de Vienne. C'est une invitation à vous arrêter où il vous plaira et à mieux vous plonger dans l'histoire, la tradition et le présent d'une ville attrayante.

Autel de Wiener Neustadt, 1447

Vierge au manteau

DOME DE SAINT STEPHANE (STEPHANSDOM)

A l'emplacement de cet édifice monumental se trouva d'abord un sanctuaire roman édifié au 12è siècle par le duc Henri II Jasomirgott. Très éprouvée par un incendie en 1258, la basilique fut reconstruite en style roman. De ce bâtiment on peut encore voir aujourd'hui le portail des Géants (Riesentor) et, de chaque côté, les tours des Païens légèrement adaptés plus tard au style gothique. La première pierre de l'édifice gothique remplaçant la basilique romane fut posée le 7 avril 1359 par le duc Rodolphe IV qui reçut à cette occasion le sobriquet de «donateur». La tour sud fut achevée en 1433 par Hans von Prachatitz et la nef fut terminée en 1455 par Hans Puchspaum. La construction de la tour nord fut arrêtée en 1511, vraisemblablement en raison de la Réforme et de l'in-

vasion turque imminente. Détruite au cours des derniers jours de la Seconde Guerre mondiale, la magistrale charpente gothique fut complètement restaurée au prix de lourds efforts.

Symbole de la ville de Vienne, la flèche de la cathédrale, haute de 137 m et affectueusement appelée «Steffl» par les Viennois, est considérée comme le résultat de prouesses en matière d'architecture gothique. Avec ses 72 m de hauteur, la tour principale servait autrefois de caserne de pompiers. Le bourdon (Pummerin), logé depuis 1957 dans la tour nord inachevée dite des aigles (60 m de haut), est une des plus grosses cloches du monde. Il fut coulé en 1711 avec le métal des canons pris à l'ennemi turc et se trouvait à l'origine dans la tour sud de laquelle il chuta au cours de l'incendie d'avril 1945 et se brisa. Les mor-

«Homme regardant par la fenêtre», autoportrait
de A. Pilgram sur la chaire (1514)

Dôme de Saint Stéphane

Orgues (maître Pilgram)

ceaux servirent à couler à nouveau la cloche qui annonce le début de chaque nouvelle année et est audible dans tout Vienne.

Une voûte atteignant jusqu'à 27 m de haut et portée par 18 colonnes recouvre l'intérieur de la cathédrale à trois vais- seaux. Sur le maître-autel en marbre noir de Johann Jakob Pock (1640-47), on peut voir une peinture sur zinc de la lapi- dation de Saint Stéphane (premier mar- tyr chrétien). L'absidiole de gauche abri- te un autel gothique datant de 1447 orné du célèbre retable de Wiener Neustadt.

Chaire gothique

Le volet central représente le couronnement de la Vierge ainsi que sainte Barbe
(avec la tour) et sainte Catherine (avec la
roue). Les volets intérieurs illustrent la
vie de Marie et de Jésus. Sur l'autel, on
peut lire les lettres «AEIOU», initiales de
la devise de Frédéric III (par exemple

Austria erit in orbe ultima - L'Autriche
existera jusqu'à la fin du monde ou:
Austriae est imperare orbi universo -
toute terre est soumise à l'Autriche). Le
tombeau de Frédéric III, exécuté en marbre rouge par Nicolas de Leyde, est con-
servé dans l'absidiole de droite. La pier-

Image miraculeuse de Maria Pócs

«Visitation»

re tombale montre l'empereur en habit de couronnement tandis que les bas-reliefs de Max Valmet et de Michael Tischer traitent des œuvres impériales. Avec leurs quatre claviers, leurs 125 registres et environ 10.000 tuyaux, les orgues font partie des plus grandes d'Europe. Dans sa partie basse datant du gothique flamboyant (1513), son créateur, Anton Pilgram, s'est immortalisé dans un buste. On trouve un autre autoportrait de Pilgram regardant par une fenêtre sous la rampe de la chaire gothique en pierre sculptée qu'il exécuta en 1514/15. Sur l'escalier, on peut voir des crapauds et des lézards symbolisant le mal qu'un chien, symbole du bien, empêche d'avancer. Dans la rampe, on découvre les reliefs des quatre pères de l'Eglise latine saint Ambroise, saint

Jérôme, le pape Grégoire et saint Augustin. La très populaire «Visitation» (1320) située près de l'entrée principale est également l'œuvre de ce maître du style gothique primaire. La «chaire de Capistran» (vers 1430), depuis laquelle le Franciscain Johannes Capestrano appela en 1451 à partir en croisade contre les Turcs, est un autre témoin de l'art gothique. Il faut également citer l'image miraculeuse de Maria Pócs (1676), travail nous venant des Carpates; la pierre baptismale d'Ulrich Auer située dans la chapelle Sainte Catherine et l'autel baroque de Johann Nepomuk (1723) sur lequel on peut voir un tableau de Johann Martin Schmidt («Kremser Schmidt»).

Vue intérieure de Saint Stéphane

Chaire de Capistran

Galerie de l'ouest avec les grandes orgues

Tombeau de Frédéric III

Chœur albertin du sud

IMMEUBLE HAAS
Conçu par l'architecte Hans Hollein, l'immeuble Haas fut achevé en 1990.

Le dôme de Saint Stéphane se reflète magnifiquement dans la façade vitrée de ce grand magasin moderne.

AVENUE DU GRABEN ET COLONNE DE LA TRINITE (COLONNE DE LA PESTE)

Cette ancienne place du marché tire son nom d'une tombe du bastion romain comblée au 12è siècle lors d'une extension de la ville. L'empereur Léopold Ier exhaussa en 1679 un vœu fait pendant l'épidémie de peste et érigea sur la tombe, en l'honneur de la Trinité, une colonne de bois remplacée en 1693 par une imposante colonne de marbre (élevée par M. Rauchmiller).

EGLISE ST-PIERRE (PETERSKIRCHE)

Tout près de la tombe, à l'emplacement du premier sanctuaire paroissial de la ville, se dresse l'église baroque la plus riche de Vienne sur le plan artistique inaugurée en 1733. M. Rottmayr y peint la fresque de la coupole et M. Altomonte participa à l'exécution des retables. Presque tous les grands maîtres de l'époque contribuèrent à sa décoration. Les reliques de saint Donat sont conservées sous l'autel de la Sainte Famille.

FONTAINE DE DONNER (DONNER-BRUNNEN)

Georg Raphaël Donner exécuta en 1739 cet ensemble de fontaines dont le personnage central représente la Providence).

Impératrice Elisabeth   Empereur François-Joseph   Prince royal Rodolphe

CRYPTE DES CAPUCINS (KAISERGRUFT)

Sous l'église dépouillée des Capucins avec sa sobre façade restaurée en 1936 selon d'anciennes gravures, on trouve la dernière demeure des membres de la dynastie des Habsbourg. Un seul cercueil n'appartient pas à la famille de Habsbourg, celui de la comtesse Fuchs, préceptrice et mentor de Marie-Thérèse. Le couple impérial Mathias et Anna avait commencé sa construction en 1618 avant de la confier à l'ordre des Capucins. La crypte impériale fut achevée en 1632 bien après la mort de ses fondateurs.

On y trouve les tombeaux de ses fondateurs, de Léopold, de Charles, de Marie-Thérèse, de François, de Ferdinand, de Toscane, de François-Joseph, la nouvelle crypte et une chapelle.

Sarcophage double de l'impératrice Marie-Thérèse et de François de Lorraine

OPERA (STAATSOPER)

Premier édifice construit sur le Ring, l'opéra de la cour fut achevé en 1869. L'architecte général August von Siccardsburg et l'architecte d'intérieur Eduard van der Nüll, en construisant ce bâtiment dans le style de la Renaissance française, furent l'un comme l'autre particulièrement critiqués. La raillerie du peuple poussa van der Nüll au suicide et Siccardsburg succomba peu de temps après à un infarctus. Ni l'un ni l'autre ne put assister à l'inauguration de l'opéra le

Opéra, vue intérieure

Opéra, escalier

15 mai 1869 avec «Don Juan» de Mozart. La bâtiment brûla entièrement à la suite d'un bombardement le 12.3.1945.

Sa reconstruction conformément aux plans d'Erich Boltenstern, de Ceno Kosak, d'Otto Possinger et de R. H. Eisenmenger qui se fondèrent très précisément sur le modèle d'origine prit 10 ans. L'édifice fut solennellement rouvert le 5 novembre 1955 avec «Fidelio» de Beethoven sous la direction de Karl Böhm.

De grands musiciens comme Gustav Mahler, Richard Strauss, Franz Schalk et Clemens Krauss furent chargés de diriger l'opéra. Pourtant la critique des «1,6 million de codirecteurs» comme Herbert von Karajan appela les Viennois en découragea plus d'un. Les Viennois aiment leur opéra et peut-être le bâtiment sur le Ring fait-il aujourd'hui encore partie des plus grands opéras du monde en raison de son terrain difficile pour ses directeurs. Un ensemble permanent comptant de nombreuses vedettes internationales et l'excellent orchestre permettent des représentations de haute qualité. Chaque année en février, l'opéra devient le centre de la vie mondaine lorsque ses portes s'ouvrent pour le bal de l'opéra.

Rembrandt, «Titus»,
Musée des beaux-arts

Musée des beaux-arts

Musée des beaux-arts, escalier

MUSEE D'HISTOIRE NATURELLE (NATURHISTORISCHES MUSEUM) ET MUSEE DES BEAUX-ARTS (KUNSTHISTORISCHES MUSEUM)

Les deux musées jouxtant la Maria-Theresien-Platz furent construits de 1872 à 1881. Gottfried Semper se consacra principalement à leur aspect extérieur et Karl von Hasenauer se chargea de l'aménagement intérieur.

Dans le vestibule du musée d'histoire naturelle, les plafonds peints par Hans Canon représentent de manière impressionnante le «Cycle de la Vie». Les huit sections du bâtiment donnent une vision unique de l'histoire de l'évolution du monde animal et végétal. Outre des pièces préhistoriques et anthropologiques ainsi qu'une collection de météorites connue dans le monde entier et présentée dans la section des minéraux, vous pourrez y voir des objets d'art et de tous les jours de nos ancêtres (comme par exemple la célèbre «Vénus de Wil-

Pierre Bruegel l'Ancien, «la Noce au village»

lendorf», idole de la fécondité datant du 15 siècle av. JC).

Le musée des beaux-arts abrite une des plus grandes galeries de peinture du monde de même qu'une collection de sculptures et d'objets d'art (Plastik und Kunstgewebe) particulièrement riche (dont notamment la célèbre «salière» de Benvenuto Cellini datant de la moitié du 16è siècle). Vous pourrez aussi y voir des monnaies et médailles (Münzkabinett), une collection égyptienne avec ses nombreuses momies et des antiquités grecques, étrusques, romaines et remontant au Bas-Empire. La description même d'une petite partie du nombre impressionnant de tableaux - la visite fait presque 4 kilomètres - ne tiendrait pas dans ce petit livre. C'est pourquoi nous nous contentons de citer quelques maîtres exposés dans ce musée : Titien, Tintoret, Véronèse, Caravage, Belloto, Raphaël, Vélasquez, Rubens, Bosch, Rembrandt, Cranach, Van Dyck, Holbein, Dürer et Pierre Bruegel. Le musée des beaux-arts possède la plus grande collection fermée de tableaux peints par les derniers maîtres flamands cités.

Raphaël, «Madone dans la verdure»

LE PARLEMENT

Ce palais dans le style de l'Antiquité grecque fut construit entre 1873 et 1883 selon les plans de Theophil Hansen. Avec ses huit colonnes corinthiennes, la partie principale rappelle un temple grec. Le Conseil du Reich de la monarchie austro-hongroise siégea dans ce bâtiment jusqu'à 1918. Aujourd'hui, le parlement est le siège du Conseil national et du Conseil fédéral.

FONTAINE DE PALLAS ATHENA (PALLAS-ATHENE-BRUNNEN)

Sur la fontaine (créée par Th. Hansen) située devant le parlement, on peut voir l'imposante statue de Pallas Athéna, œuvre de Karl Kundmann. La déesse de la sagesse est flanquée de figures allégoriques représentant la législation et l'administration (travaux de J. Tautenhayn). Les figures divines aux pieds d'Athéna symbolisent le Danube, l'Inn, l'Elbe et la Moldavie.

HOTEL DE VILLE

Tel un palais, le fastueux hôtel de ville néogothique édifié par Friedrich Schmidt, constructeur de la cathédrale, est séparé du Ring par son parc. En haut de la tour centrale de 98 m de haut, on aperçoit le «Rathausmann» haut de 3,4 m. Durant l'été, des concerts sont régulièrement organisés dans l'imposante cour aux arcades. Un guide pourra du reste vous faire visiter les salles de réception et la salle du conseil.

EGLISE VOTIVE (VOTIVKIRCHE)

En 1853, l'attentat d'un anarchiste contre l'empereur François-Joseph Ier échoue. En remerciement de son salut, on construit l'église votive néogothique «Zum Göttl. Heiland» (1856-1879). Heinrich Ferstel fournit les plans. Dans le baptistère, on trouve le tombeau de Nicolas compte de Salm (décédé aux alentours de 1533) qui, en 1529, défendit Vienne contre les Turcs. «L'autel d'Anvers» (à droite du maître-autel) est une sculpture sur bois flamande (15è siècle).

L'UNIVERSITE

Ce bâtiment conçu par Heinrich Ferstel et érigé de 1873 à 1883 dans le style de la Renaissance italienne est aujourd'hui le bâtiment principal de la plus ancienne université germanophone, fondée en 1365 par le comte Rodolphe IV. Le Mittelrisalit de la façade principale est construit sur le modèle d'une loggia Renaissance à deux étages surmontée d'un toit mansardé en coupole. Dans la jolie cour à arcades, les monuments à la gloire de nombreux professeurs célèbres rappellent la grande tradition de l'Alma Mater Rudolphina.

BURGTHEATER

Lorsque le théâtre situé Michaelerplatz et fait Théâtre National allemand par Joseph II en 1776 dut faire place à l'extension de la Hofburg à l'époque de la construction du Ring, le nouveau théâtre de la cour impériale dit «Burg» fut construit en remplacement. Gottfried Semper (extérieur) et Carl Hasenauer (décoration intérieure) s'inspirèrent de la haute Renaissance italienne. Le «Bacchantenzug» long de 18 mètres, bas-relief de Rudolf Weyr se trouve sur l'attique au centre du bâtiment. Pour la balustrade le surplombant, Carl Kundmann créa le groupe «Apollon et les muses Melpomène et Thalie». Les plafonds au-dessus des prestigieux escaliers des ailes sont l'œuvre entre autres de Gustav, de Ernst Klimt et Franz Matsch. Aujourd'hui encore, le Burgtheater est une des principales scènes germanophones.

Burgtheater, escalier

25

MONUMENT DE L'IMPERA-TRICE ELISABETH

Le monument à la gloire de l'épouse de l'empereur François-Joseph Ier assassinée en 1898 à Genève a été travaillé dans le marbre par Hans Bitterlich (architecture F. Ohlmann) et fut dévoilé dans le Volksgarten en 1907. Elisabeth de Bavière est née en 1837 à Munich et a épousé le monarque en 1854.

TEMPLE DE THESEE

Situé dans le Volksgarten, le temple de Thésée est une imitation achevée en 1823 par Peter Nobile du Théseion d'Athènes. Il abritait à l'origine le groupe «Thésée vainc le Minotaure» d'Antonio Canova (exposé aujourd'hui au musée des beaux-arts). Au cours de ce siècle, il servit occasionnellement de lieu d'expositions archéologiques (fondation Ephèse) et artistiques. La statut en bronze «Le vainqueur» est une œuvre de Josef Müllners (1921).

HELDENPLATZ

La place située devant la Hofburg doit son nom à deux grands héros de l'histoire des guerres : à l'archiduc Charles, vainqueur de Napoléon Ier à Aspern en 1809 et au prince Eugène de Savoie, général particulièrement aimé en Autriche. Anton Fernkorn créa les monuments à la gloire des deux héros au milieu du 19è siècle.

Monument de l'archiduc Charles

Monument du prince Eugène

L'Autriche se sentant menacée par les Turcs vainqueurs de la guerre contre Venise, le prince Eugène (1663-1776) engagea ses troupes dans le combat aux côtés de Venise. Il conquit le Banat et donna l'assaut à Belgrade, battit une armée turque et put ainsi prendre la place forte. (La chanson populaire «Prinz Eugen, der edle Ritter,...» rappelle sa victoire). L'Autriche vit cependant sa plus grande extension territoriale consacrée par le traité de Passarowitz (1718).

LA HOFBURG

Les dimensions imposantes de ce palais témoignent de la puissance et de la richesse de l'Autriche par le passé. Symbole de plus de 600 ans de règne, la résidence des Habsbourg reflète l'histoire de l'architecture, de l'époque gothique au style historisant du Ring. Pourtant, les différents styles de ce complexe sont extraordinairement harmonieux. A l'origine, les architectes Gottfried Semper et Karl von Hasenauer avaient prévu de construire une partie parfaitement identique et symétrique face à la Hofburg. Avec les musées situés de l'autre côté du Ring et le palais des congrès, on aurait obtenu un gigantesque «forum impérial». Ce projet ne fut cependant que partiellement réalisé.

Aujourd'hui, la Hofburg abrite le bureau du président autrichien (dans l'aile de Léopold) mais aussi le musée ethnogra-

phique (Völkerkundemuseum), des sections du musée des beaux-arts avec une collection d'armes et d'armures et d'instruments de musique, le musée de sculpture éphésienne, le trésor impériale, la bibliothèque nationale autrichienne, l'école d'équitation espagnole. Elle dispose également d'espaces représentatifs utilisés pour des conférences internationales.

Les différents musées et la bibliothèque nationale sont logés dans le Neue Burg ou Nouveau Château construit de 1881 à 1913 par Semper et Hasenauer sur l'ordre de François-Joseph Ier. La construction de l'aile St-Michel commença dès 1735 selon les plans de Joseph Emanuel Fischer von Erlach mais ne fut achevée qu'en 1893. Les portraits d'Hercule tombant entourant la porte St-Michel et les fontaines murales de la façade méritent une attention particulière. Les sculptures

Aile St-Michel (porte)

de ces fontaines représentent des allégories de la «maîtrise de la terre» (Edmund Hellmer) et de la «maîtrise de la mer» (Rudolf Weyr). Les bureaux de l'empereur François-Joseph Ier se trouvent dans l'aile de la chancellerie édifiée par Lukas von Hildebrandt et Fischer von Erlach de 1723 à 1730 entre la Michaelerplatz et l'actuelle Ballhausplatz. Les appartements de l'impératrice Elisabeth, épouse de François-Joseph se trouvaient dans l'Amalienburg baroque.

«Allerhöchste Hoftafel»

LA COUR DES SUISSES (SCHWEIZERHOF)

En 1275, le roi de Bohème Otakar II Przemysl lança la construction du noyau primitif de la Hofburg. Rodolphe Ier de Habsbourg poursuivit les travaux. Dans le cadre des travaux d'extension effectués à l'époque de la Renaissance, la porte des Suisses fut aménagée sur l'ordre de l'Empereur Ferdinand Ier (1536-1553). Le nom de cette cour provient de la garde du corps impériale qui y logeait et qui, à l'époque de Marie-Thérèse, était composée de Suisses. Aujourd'hui l'aile des Suisses abrite le trésor impérial (Schatzkammer), rassemblement d'objets précieux inestimables et de pièces éblouissantes d'orfèvrerie et de bijouterie.

Porte des Suisses

Globe impérial, couronne d'Autriche, sceptre

TRESOR IMPERIAL (SCHATZKAMMER)

Cette collection quasiment inégalable par son prestige et sa splendeur est l'héritage de l'empereur Maximilien Ier. Au fil du temps, elle fut agrémentée de nombreux objets d'art ayant fait partie du patrimoine des Habsbourg. Le trésor se divise en une partie sacrée et une partie profane. Les pièces les plus fameuses sont le trésor du «Saint Empire Romain Germanique» et la couronne de Rodolphe II (couronne d'Autriche depuis 1804). Les bijoux de l'impératrice Marie-Thérèse, de nobles ornements de l'ordre de la «Toison d'or«, les insignes des archiducs autrichiens, le trésor des ducs de Bourgogne hérité de l'empereur Maximilien Ier et bien d'autres joyaux y sont exposés.

L'EMPEREUR FRANCOIS-JOSEPH IER ET L'IMPERATRICE ELISABETH

Les deux portraits grandeur nature peints par Winterhaltr se trouvent aujourd'hui dans la Hofburg où le couple impérial avait ses appartements.

François-Joseph Ier (1830-1916), empereur d'Autriche et roi de Hongrie, changea la destinée de la double monarchie. Dès le début de son règne en 1848, de gigantesques travaux donnèrent à la ville un nouveau visage. Les anciens bastions furent supprimés pour faire place au Ring (ceinture de boulevards), jalonné de palais monumentaux et de jardins. La création d'installations culturelles, sociales mais aussi sanitaires apporta la preuve du caractère humanitaire de l'empereur. Son épouse, l'impératrice Elisabeth de Wittelsbach, surnommée si gentiment «Sissy» par le peuple, fut assassinée à Genève en 1898 lors d'un attentat.

BIBLIOTHEQUE NATIONALE (ÖSTER-REICHISCHE NATIONALBIBLIOTHEK)

L'ancienne librairie impériale située Josefsplatz fut aménagée selon les plans de Johann Bernhard Fischer von Erlach par son fils Joseph Emanuel entre 1723 et 1735. La Grande Salle (Prunksaal) est un chef-d'œuvre d'architecture et de décoration de la fin de l'époque baroque. Daniel Gran peint les magnifiques fresques : allégories de diverses sciences dans la coupole, au plafond, représentation de l'empereur Charles VI, du maître d'œuvre. Au centre de la salle, Peter et Paul von Strudel ajoutèrent une statue en marbre à l'effigie de l'empereur, entourée de 16 autres statues représentant d'autres membres

de la dynastie des Habsbourg.
Les collections inestimables de la bibliothèque nationale comptent plus de 2,2 millions de manuscrits et d'imprimés dont la très riche bibliothèque du prince Eugène ainsi que de nombreuses cartes, carnets de notes et du matériel historique théâtral.

ECOLE ESPAGNOLE (SPANISCHE REITSCHULE)

Le «manège d'hiver» (entre la cour des Suisses et la Stallburg), œuvre de Joseph Fischer von Erlach fut achevé en 1735. La fastueuse grande salle et sa galerie portée par 16 colonnes corinthiennes constitua à l'époque du Congrès de Vienne le cadre somptueux de nombreuses fêtes. Aujourd'hui, elle abrite les représentations de la haute école, très beau spectacle que, dans le monde entier, on ne peut plus voir qu'à Vienne. Pendant les reprises, les écuyers portent des uniformes historiques. Il s'agit de la plus ancienne école d'équitation du monde issue de «l'école d'équitation espagnole» déjà connue en 1572.

Les lippizans, poulains noirs plus tard très exceptionnellement blancs, sont un croisement de chevaux andalous avec des chevaux arabes et napolitains. Ils ne s'illustrèrent pas seulement lors des batailles. Ils furent aussi employés lors des ballets équestres si appréciés et tirèrent l'équipage de l'empereur François-Joseph. Aujourd'hui, ces chevaux uniques en leur genre sont élevés dans le haras national de Piber près de Köflach en Styrie.

EGLISE ST-MICHEL (MICHAELERKIRCHE)

Si on regarde l'église depuis l'hémicycle que dessine l'aile St-Michel de la Hofburg, on aperçoit un magnifique travail de ferronnerie dans la porte St-Michel. La Michaelerplatz sur laquelle elle se trouve est entourée de constructions prestigieuses telles que la Hofburg, la Looshaus et l'église St-Michel, ancienne église paroissiale de la maison impériale autrichienne. Elle date en partie encore du 13è siècle mais fut transformée et agrandie à plusieurs reprises au fil du temps. L'étroite tour remonte à l'époque gothique tandis que le portail, œuvre d'Antonio Beduzzi, est de style baroque. Ferdinand von Hohenberg ornementa la façade classique en 1792.

Le thème de la «chute des anges» nous accompagne à travers l'église d'une part sous la forme d'un groupe sculpté en pierre par Lorenzo Mattielli sur le portail mais aussi par le biais d'immenses tableaux de Michelangelo Unterberger situés au-dessus de la travée droite ainsi qu'un travail en stuc aux nombreux détails de Karl Georg Merville que l'on peut admirer dans le chœur. L'intérieur de cette église aux trois nefs est riche en trésors artistiques. Dans la chapelle de la tour, près de l'entrée, on découvre des restes de fresque datant du 13è siècle représentant St Côme, St Thomas et St Damien de même que la «messe de Saint Grégoire» qui date elle du 14è siècle. Le retable des «14 sauveurs» situé sur l'autel de Johann Nepomuk est l'œuvre de T. Pock (1643). Sur l'autel de la magnifique chapelle des vêpres on peut voir une pietà en

bois (vers 1430). L'église est également connue pour ses tombes de nobles importants.

«LOOSHAUS» SUR LA MICHAELERPLATZ

En 1910, l'architecte art nouveau Adolf Loos construisit cet immeuble d'habitation et commercial pour la maison de couture masculine Goldmann et Salatsch. La façade sembla si révolutionnaire et audacieuse aux Viennois que la construction dut être stoppée provisoirement. Même l'empereur François-Joseph se fâcha des «fenêtres sans cils» dénuées de tout encadrement. Loos sépara nettement le quartier aux crépis lisses des locaux commerciaux aux devantures couvertes de marbre de Cipollino. Il fut le précurseur de constructions d'un nouveau genre matériel. Le «Kärntner Bar» (1er arrondissement, Kärntner-Durchgang), qui date de 1907, illustre son génie en matière d'aménagement intérieur.

MONUMENT DE FRANCOIS-JOSEPH

La statue représentant l'empereur en uniforme ne fut transférée de la Wiener Neustadt au Burggarten qu'en 1957.

MONUMENT DE MOZART

Viktor Tilgner éleva cette statue en l'honneur du grand compositeur Wolfgang Amadeus Mozart en 1896. Né à Salzbourg en 1756, Mozart vint s'établir à Vienne en 1781 où il composa la plupart de ses plus grandes œuvres. Il fut enseveli en 1791 au cimetière St-Marc à Vienne.

MAISON DES PAPILLONS

Dans une des plus belles maisons de verre art nouveau du monde, vous découvrirez la magie d'une forêt tropicale abritant des centaines de papillons exotiques différents. Quelle que soit la température extérieure, qu'il pleuve ou qu'il neige, entrez dans un monde fantastique d'animaux, de plantes, d'arbres géants et de cascades.

EGLISE AM HOF (ancienne église des Jésuites)

Entre 1607 et 1610, les jésuites appelés à Vienne en 1551 pour diriger la Contre-Réforme «baroquisèrent» l'ancienne église des carmélites située sur la place Am Hof. En 1662, Carlo Antonio Carlone donna à la façade sa forme actuelle. Lors de la suppression de l'ordre des jésuites, l'église Sainte Marie «Aux neuf chœurs des anges» devint paroisse municipale. En 1782, le pape Pie VI se rendit précipitamment à Vienne pour atténuer les réformes anticléricales de Joseph II. Depuis le balcon de l'église, il administra la bénédiction de Pâques. En 1806, François II mit fin à l'existence du Saint Empire Romain Germanique.

BÜRGERLICHES ZEUGHAUS

A l'origine magasin d'armes des bourgeois de Vienne, le bâtiment sert aujourd'hui de caserne principale des pompiers. L'ornementation de la façade baroque est l'œuvre de Lorenzo Mattielli.

FONTAINE DES NOCES DE LA VIERGE (VERMÄHLUNGSBRUNNEN) (FONTAINE ST JOSEPH)

Léopold Ier fit vœu en 1702, si son fils Joseph Ier prenait le bastion de Landau et revenait sain et sauf, d'ériger une colonne à la gloire de saint Joseph. La colonne de bois d'origine fut remplacée sous Charles VI par une fontaine de marbre œuvre de J.E. Fischer von Erlach (1732) représentant le mariage de Marie et de Joseph.

EGLISE N.-D.-DU-RIVAGE (MARIA AM GESTADE)

Sur une terrasse qui dominait alors le bras principal du Danube (aujourd'hui «Salzgries»), sur des soubassements romains, se dresse un joyau d'architecture gothique. Depuis le 9è siècle, les bateliers venaient y prier. En 1158, l'église est mentionnée pour la première fois dans des documents. Le chœur et la tour datent du 14è siècle. En 1414, la nef et la coupole ajourée surmontant la tour sont achevées par Michael Knab.

L'église est célèbre pour ses vitraux gothiques datant du 14è siècle. Le sarcophage et l'autel du saint rédempteur Clemens Maria Hofbauer rappellent le saint patron de Vienne.

HORLOGE A JACQUEMART (ANKERUHR)

Entre le n° 10 et le n° 11 du Hoher Markt, on peut voir une horloge à jacquemart fabriquée selon les plans du peintre Franz von Matsch (1913). Chaque jour à midi, son mécanisme fait défiler 12 personnages ou couples de personnages représentant des personnalités importantes de l'histoire de Vienne sur fond des anciennes armoiries de la ville (dont Marc Aurèle, Charlemagne, le duc Léopold VI, Walter von der Vogelweide, Rodolphe I, le prince Eugène, Marie-Thérèse, Joseph Haydn...).

GRIECHENBEISEL

«Zum Roten Dachl» (Griechengasse)
Ont dit du «gentil Auguste» qu'il serait souvent entré dans cette auberge datant du Moyen Age à l'époque de la grande peste. Le local fut baptisé ainsi au 18è siècle alors que de nombreux marchands grecs et levantins demeuraient dans les ruelles avoisinantes. Des artistes et des politiciens de renom (Wagner, Strauß, Grillparzer, Nestroy, Lueger, Brahms et Waldmüller) fréquentèrent l'établissement pour l'excellente bière qui y était servie.

EGLISE ST-RUPERT (RUPRECHTSKIRCHE)

L'honorable petite église est considérée comme le bâtiment sacré le plus ancien de Vienne. Elle fut fondée en 740 mais ses parties principales remontent au 11è siècle. Au centre du chœur (13è siècle), on peut admirer des vitraux parmi les plus anciens de Vienne. Vingt fenêtres environ furent refaites par Lydia Roppolt en 1953 et 1992/93.

KURSALON dans le Stadtpark
Ouvert en 1867, le Kursalon est depuis le lieu de vénération de la muse de la valse et de l'opérette. Edouard Strauß et les excellents orchestres militaires de la monarchie s'y produisirent à l'occasion des célèbres «concerts promenades».

MONUMENT DE
JOHANN STRAUSS
dans le Stadtpark
Un comité privé et la commune de Vienne mirent à disposition les moyens nécessaires à l'élévation de la statue en bronze représentant le compositeur et au bas-relief en marbre, œuvre de E. Hellmer inaugurée en 1921.
Johann Strauß (fils) naquit à Vienne en 1825 où il mourut en 1899 après une vie mouvementée et glorieuse passée dans la ville au service de la valse et de l'opérette.

Grande salle du «Wiener Musikverein»

BATIMENT DU MUSIKVEREIN

La grande salle ou salle «dorée» située dans le bâtiment de la «Société des amis de la musique» construit de 1867 à 1869 par Theophil Hansen et appelé «Musikverein» est incontestablement le centre de la vie musicale viennoise. C'est pour ainsi dire la maison du philharmonique de Vienne dont le concert du nouvel an est retransmis dans de nombreux pays par le biais de la télévision. Des musiciens du monde entier y donnent des concerts sous les cariatides dorées et font l'éloge, tout comme les spectateurs, de son acoustique incomparable.

EGLISE ST-CHARLES (KARLSKIRCHE)

En 1713, la peste fit de nouveau rage à Vienne et Charles VI, sur son lit de mort, fit le vœu de faire bâtir une église dédiée à saint Charles Borromée. La construction de l'église baroque la plus importante de Vienne démarra en 1716 sous les ordres de Johann Bernhard Fischer von Erlach et fut achevée en 1739 par son fils Joseph Emanuel. Johann Christoph Mader s'inspira de la colonne Trajane à Rome pour les deux colonnes de 33 m ornées de bas-reliefs illustrant la vie de saint Charles. Les colonnes, les éléments de la façade et la coupole haute de 72 m constituent une harmonie parfaite.

Détail de la coupole avec fresques de Joh. M. Rottmayr

Maître-autel de Joh. Bernhard Fischer von Erlach

PALAIS SCHWARZENBERG

En 1716, le prince Schwarzenberg demanda à J. Lukas von Hildebrandt de construire un palais qui resta inachevé. Les travaux furent achevés par Johann Bernhard puis par son fils Joseph Emanuel Fischer von Erlach en 1728. Les superbes fresques de Daniel Gran furent en grande partie détruites pendant la Seconde Guerre mondiale.

JETS D'EAU (HOCH-STRAHLBRUNNEN)

Anton Gabrielli finança la fontaine à l'aide de son salaire de constructeur de la première conduite d'eaux de sources de montage de Vienne (1873). La fontaine fut illuminée en 1906. Le nombre et le regroupement des différents jets correspond au nombre de semaines, de mois et de jours de l'année. Douze jets hauts symbolisent les mois et 24 jets bas les heures. Après la libération de Vienne par l'armée rouge, le monument de la libération fut érigé en 1945 derrière la fontaine. Des militaires russes furent chargés des plans et de l'exécution des travaux. Le monument se compose d'un garde rouge (12 m) juché devant une balustrade sur une colonne de 20 m de haut.

LE BELVEDERE

Le prince Eugène de Savoie, vainqueur des Turcs et empereur «secret» fit construire cette résidence d'été baroque par Johann Lukas von Hildebrandt. Elle se compose de deux palais et d'un jardin aménagé par le Bavarois Dominique Girard. L'essentiel du complexe fut achevé en 1725. Le belvédère supérieur (oberes Belvedere) servait pour les fêtes tandis que le belvédère inférieur (unteres Belvedere) servait de résidence d'été au prince. Après la mort de celui-ci, la propriété fut vendue aux Habsbourg. Joseph II y fit installer la collection de tableaux impériale en 1777. A cela s'ajouta en 1806 la collection du château d'Ambras (provenant du Tyrol devenu bavarois sous Napoléon). En 1890, les deux collections furent transférées dans le nouveau musée des beaux-arts sur le Ring. A partir de 1894, François-Ferdinand, qui sera assassiné par la suite à Sarajevo, résida temporairement dans le belvédère supérieur. Le compositeur Anton Bruckner habitat l'aile Kustodentrakt jusqu'à sa mort (1896). Le 15 mai 1955, le traité d'Etat mettant fin à l'occupation de l'Autriche par les puissances alliées de la Seconde Guerre mondiale fut signé dans la grande salle de marbre rouge du belvédère supérieur. L'Autriche était à nouveau libre.

Aujourd'hui, tout le belvédère est à la disposition de la galerie d'Art autrichien (österreichische Galerie). Le belvédère inférieur abrite le musée d'Art baroque (österreichisches Barockmuseum) dans lequel de l'art plastique et des tableaux du 17è/18è siècle sont présentés. L'orangerie du belvédère inférieur a été aménagée en musée d'Art médiéval autrichien (Museum österreichischer mittelalterlicher Kunst) où des œuvres du 12è au 16è siècle sont exposées. La galerie des 19è et 20è siècle dans le belvédère supérieur comprend des parties consacrées au classicisme, à l'époque Biedermeier, aux œuvres contemporaines des chantiers du Ring, à l'art figuratif et à la plus grande collection d'œuvres de Klimt, Schiele et Kokoschka.

Belvédère inférieur

Salle des miroirs. Belvédère inférieur, «Apothéose du prince Eugène»(marbre, B. Permoser)

Grande salle en marbre

Gustav Klimt: «le Baiser»

LES MAISONS FIGURATIVES

Otto Wagner, grand urbaniste exerçant à Vienne au début du siècle, construisit dans la Linke Wienzeile deux immeubles, en partie à ses frais, pour exprimer sa demande de façades polychromes. La façade du n° 38 fut décorée par Kolo Moser, et des plantes impressionnantes agrémentent la devanture du «Majolikahaus» au n° 40.

LA SECESSION

En 1897, des artistes engagés effectuèrent à Vienne la séparation des «ismes» des traditions académiques en fondant la «Sécession viennoise». Josef M. Olbrich, élève d'Otto Wagner, construisit en 1897/98 le bâtiment d'exposition de ce mouvement simplement appelé «Sécession» dont Josef Hoffmann, Gustav Klimt et d'autres artistes importants de l'art décoratif faisaient partie. Ce «temple de l'art» carré est surmonté d'une coupole en bronze en forme de laurier.

THEATRE AN DER WIEN

Linke Wienzeile

Emanuel Schikaneder, qui écrit les textes de La flûte enchantée de Mozart, fit construire un théâtre an der Wien de 1798 à 1801. Celui-ci devait s'aligner sur les maisons traditionnelles de la capitale. Beethoven composa «Fidelio» pour le théâtre an der Wien. Son concerto pour violon y fut joué pour la première fois. A partir de 1831, Joh. Nestroy y connut le triomphe. Plus tard, pendant l'ère dorée (Strauß, Millöcker, Zeller) et argentée (Lehár, Eysler, Kálmán) de l'opérette, le programme fut consacré à la muse «légère».

MARCHE AUX PUCES

Wienzeile

Chaque samedi, le marché aux puces de Vienne a lieu à proximité du «Naschmarkt». Les amateurs de brocante y trouveront de précieux objets d'autrefois mêlés à des pièces kitsch et sans aucune valeur. Pour les plus belles pièces, il est conseillé de s'y rendre de bonne heure.

CHATEAU DE SCHÖNBRUNN

Vers 1619, alors qu'il chassait aux alentours du château actuel, l'empereur Mathias découvrit la source «Schöner Brunnen« qui donna son nom à cette somptueuse construction. Joh. Bernh. Fischer von Erlach fut chargé en 1695 par Léopold Ier de bâtir à l'emplacement du «Katterburg» détruit par les Turcs un château qui devait éclipser même Versailles. Pour des raisons financières, on opta cependant pour un projet plus modeste. Nicolas Pacassi agrandit le château entre 1744 et 1749 sous le règne de Marie-Thérèse. C'est en 1765 que le parc déjà aménagé à la française prit sa forme actuelle. Avec ses haies d'arbres taillés, ses allées, ses tapis de fleurs, ses pelouses et ses fontaines, il compte parmi les plus beaux parcs d'Europe. Le jardin zoologique fut aménagé dès 1752 puis on y ajouta la ruine «romaine» (1778), la belle fontaine (1779), la fontaine de Neptune (1780) au pied de la butte sur laquelle Ferdinand de Hohenberg avait fait construire la gloriette en 1775 et le Palmarium en 1883. Construit en 1749 et décoré dans le style rococo en 1767, le théâtre du château vit se produire Haydn et Mozart. La salle des voitures (Wagenburg), ancien manège d'hiver, abrite une des plus grandes collections de carrosses d'apparat et d'équipages historiques. La plus belle pièce exposée est incontestablement le carrosse impérial, carrosse de la cour de Vienne. Sous le règne de Marie-Thérèse, Schönbrunn servait de résidence secondaire. De nombreux souvenirs historiques sont liés à bon nombre des 1441 chambres et salles du château. Joseph II y épousa Isabelle de Parme en 1760 puis, en secondes noces, Josepha de Bavière en 1765. En 1805/06 puis de nouveau en 1809, Napoléon établit son quartier général à Schönbrunn et en 1814/15, lors du congrès de Vienne, les salons du château furent le cadre de réceptions. C'est à Schönbrunn que naît l'empereur François-Joseph Ier et qu'il meurt (1830-1916). C'est là encore que Charles Ier abdique en 1918, mettant ainsi un terme à la monarchie en Autriche.

MARIE-THERESE

Archiduchesse d'Autriche Fille aînée de l'empereur Charles VI, elle naquit à Vienne en 1717. En 1736, à 19 ans à peine, elle fit un mariage d'amour avec François de Lorraine qui lui donna 16 enfants. Lorsque son époux devient empereur allemand en 1745, Marie-Thérèse, vraisemblablement par économie, ne se fait pas couronner avec lui. L'impératrice qui n'en était pas une fut l'instigatrice de nombreuses nouveautés dont l'institution de l'école obligatoire ou l'abolition du servage. Elle mourut en 1780 à Vienne et fut enterrée dans la Crypte des Capucins.

Gloriette

Palmarium

«Salon des Gobelins»

«Chambre Vieux-Laque»

59

«Cabinet chinois rond»

«Chambre de Marie-Antoinette»

Grande galerie

«Belle fontaine»   *Lion dans le jardin zoologique*

Salle des Voitures, «carrosse impérial»

MAISON DES ARTS (KUNSTHAUS)

A quelques minutes à pied de l'immeuble Hundertwasser on trouve depuis 1991 la Maison des Arts de Vienne dont la forme artistique a été donnée par Friedensreich Hundertwasser. Des œuvres du maître y sont exposées et des expositions temporaires d'autres artistes y sont organisées.

IMMEUBLE HUNDERTWASSER (HUNDERTWASSERHAUS)

Friedensreich Hundertwasser, important peintre viennois et professeur à l'Académie faisant preuve d'une grande aversion pour les lignes géométriques, réalisa avec cet immeuble d'habitation de la commune de Vienne (achevé en 1985) une vision du nouvel habitat écologique.

LE PRATER

Lorsqu'en 1766 Joseph II ouvrit au peuple cet immense terrain de chasse autrefois réservé à l'aristocratie que constituait le Prater, cette zone devint un lieu de détente apprécié des Viennois. Des cafés, des baraques et des restaurants y font leur apparition et, très rapidement, jeunes et vieux peuvent venir se divertir et s'amuser au «Wurstelprater» (Prater du peuple). En 1840, Basilio Calafati y installe son célèbre manège «Zum Großen Chineser» et le «Wurstel», guignol des théâtres de marionnettes, sort à son honneur d'innombrables aventures à faire dresser les cheveux sur la tête. La grande roue (Riesenrad) est installée en 1897. A la suite des destructions des derniers jours de la guerre (1945), le Prater fut modernisé : le petit train circule de nouveau entre la grande roue et le stade ; on y trouve des trains panoramiques, des balançoires, des manèges, des stands de tir, des trains fantôme et des miroirs déformants. Ceux qui veulent se défouler peuvent même sauter dans le «Watschenmann».

LA GRANDE ROUE (RIESENRAD)

Symbole de la capitale fédérale, elle fut érigée en 1896/97 par l'ingénieur anglais Walter B. Basset. En 1945, lors des derniers jours de la guerre, toutes les nacelles et la machinerie furent détruits mais un an après la roue reprenait sa course sur son axe large de 50 cm et long de plus de 10 m. D'un

diamètre de 61 m, la roue culmine à 64,75 m. Avec ses 120 rayons, l'ensemble de la construction pèse 430.05 t. La grande roue est connue pour sa vue sur Vienne dont on peut jouir depuis les nacelles qui tournent lentement.

TOUR DU DANUBE (DONAUTURM)

La tour panoramique de 252 m de haut fut érigée sous la direction de Hannes Lintl et de Robert Krapfenbauer. Un ascenseur permet d'atteindre en quelques secondes la terrasse située à 165 m de hauteur. Au-dessus se trouvent deux restaurants tournants qui offrent une vue magnifique sur Vienne.

PARC DU DANUBE (DONAUPARK)

Ce parc d'1 km2 environ fut aménagé entre l'ancien et le nouveau Danube à l'occasion de l'exposition internationale d'horticulture de Vienne en 1964. C'est aujourd'hui une zone de détente de proximité très appréciée des Viennois. La tour du Danube constitue le centre d'intérêt principal du parc.

ILE SUR LE DANUBE (DONAUINSEL)

Malgré sa régulation au 19è siècle, le fleuve sort toujours occasionnellement de son lit. C'est pourquoi on creusa en 1972 un canal parallèle de dérivation, créant ainsi une île de 20 km de long qui se transforma rapidement en une base de loisirs appréciée.

CENTRE INTERNATIONAL DE VIENNE (UNO-CITY)

En 1979, après New York et Genève, les Nations Unies firent de Vienne leur troisième siège permanent. Le Centre International de Vienne fut construit de 1973 à 1979 selon les plans de Johann Staber. Cette énorme construction de verre et de béton armé abrite le personnel venant de plus de 100 pays de l'ONU. L'Autriche devint membre de l'organisation mondiale en 1955 après avoir obtenu son indépendance. Depuis 1957, Vienne est le siège de diverses organisations internationales.

TOUR DU MILLENI-UM (MILLENNIUMS-TOWER)

D'une hauteur totale de 202 m soit 50 étages, la tour du millenium est le bâtiment le plus haut d'Autriche. Elle figure également parmi les tours de bureaux les plus hautes d'Europe. Outre des bureaux et des apparte-ments, la Millennium City regroupe plus de 50 maga-sins, restaurants et cafés.

USINE D'INCINERA-TION DE SPITTELAU

L'usine d'incinération d'or-dures de Spittelau est un autre bâtiment riche en couleurs transformé par Hundertwasser agrémen-tant l'image de Vienne. En réorganisant la centrale de chauffage urbain, le maître apporte la preuve que les bâtiments industriels peu-vent aussi plaire à l'œil.

GRINZING

Communalisé en 1892, Grinzing est le plus célèbre village vigneron à «Heurigen» de Vienne mais il en existe d'autres comme Sievering, Nußdorf, Salmannsdorf et Neustift am Walde. Ce lieu pittoresque date pour l'essentiel des 16è et 17è siècles.

Le raisin des vignobles alentours est pressé pour obtenir le «Heurigen» (vin nouveau) dont on dit qu'il fait de tout brave un philosophe.

LA MAISON DE BEETHOVEN

dans la Probusgasse ne se situe pas très loin, au n° 2 de la place centrale (Markt-platz). Beethoven habita dans cette maison en 1802 en raison des eaux qui se trouvent à proximité. Vingt-cinq ans avant sa mort, il y rédigea le «testament d'Heiligenstadt», poignant manifeste de son expérience de la vie.

LEOPOLDSBERG

En 1679, l'empereur Léopold Ier posa la première pierre d'une chapelle dédiée au margrave Léopold III le Saint et détruite par la suite par les Turcs. Après la victoire sur les envahisseurs, il fit vœu de restaurer la petite église et donna le nom du saint à la montagne sur laquelle elle se trouve. Le «Château des Babenberg» brûla dès 1529 lors de la première invasion turque et ne fut jamais reconstruit.

KAHLENBERG

En 1629, l'ordre des Camaldules fonda un ermitage sur la montagne jusqu'alors inhabitée. Détruit par les Turcs en 1683, celui-ci fut reconstruit dans de moindres dimensions. Il fut sécularisé en 1782 mais, dès 1783, l'église abandonnée fut de nouveau inaugurée («St Joseph»). La chapelle Sobieski rappelle cette messe historique lue en 1683 dans la chapelle St Georges (sur le Leopoldsberg actuel) par le légat papal Marco d'Aviano, à la veille de la bataille contre les Turcs 1683, à l'intention de l'armée de dégagement. Jan III Sobieski, roi de Pologne qui contribua de manière déterminante à la victoire de l'armée de l'empereur Léopold Ier servit lors de cette messe. Une copie de la «Vierge noire» de Tschenstochau indique que l'église était tenue par des prêtres polonais.

KAHLENBERG ET LEOPOLDS-BERG

KAHLENBERG ET LEOPOLDS-BERG sont les extrêmes promontoires du Wienerwald et ainsi des Alpes. C'est de là qu'en 1683 les armées chrétiennes se rassemblèrent pour une marche décisive contre les Turcs. La matin qui précéda la bataille, une messe fut célébrée lors de laquelle Jan Sobieski, roi de Pologne, servit. Les armées de dégagement sortirent victorieuses de la bataille, empêchant ainsi l'islamisation menaçante de l'Europe, victoire capitale pour l'histoire mondiale.

KLOSTERNEUBURG

Le margrave Léopold III fit construire la collégiale romane de Klosterneuburg entre 1114 et 1136. Il la confia ensuite aux chanoines des Augustins. Célèbre dans le monde entier, l'autel de Verdun (Nicolas de Verdun, 1181) avait été créé à l'origine pour orner le chœur. En 1331, on le transforma en autel funéraire pour Léopold III (canonisé en 1485). Au 17è/18è siècle, les meilleurs artistes travaillèrent à la «baroquisation» de l'intérieur. L'empereur Charles VI voulait faire de la maison religieuse un palais monastère comme l'Escurial (Fischer von Erlach le jeune). Un quart du plan

Vierge noire

environ fut réalisé. Les coupoles de l'établissement symbolique étaient ornées de la couronne du Saint Empire Romain Germanique et coiffées de l'imposant Herzogshut. Au 19è siècle, F. Schmidt construisit les tours de l'église en style néogothique.

VESTE LIECHTENSTEIN

Maria Enzersdorf; détruit par les Turcs; restauré en 1873 dans un style romantique; centre d'un parc naturel romantique comportant plusieurs ruines artificielles («Tour noire», «Amphithéâtre»).

MÖDLING (BASSE-AUTRICHE)

Mödling, mentionnée dès 907 dans des documents, élevée au rang de marché en 1443 et de ville en 1875, était très appréciée dans les cercles de romantiques pour sa situation «pittoresque». L'église paroissiale St Othmar, de style gothique flamboyant, fut détruite en 1529 par les Turcs peu après avoir été achevée et ne fut restaurée dans le style baroque qu'à partir de 1700. Le Karner (Beinhaus) situé à côté de l'église date de l'époque romantique (12è siècle). Vers 1700, un clocher baroque fut placé sur la construction circulaire. Le portail cintré roman et ses colonnes nodulaires attire l'œil par son ornementation claire et simple. Les nombreuses maisons anciennes (par exemple l'hôtel de ville Renaissance, la Schrannenplatz; la maison de Sgraffito, le n° 6 de la Rathausgasse) contribuent fortement à la réputation «romantique» de ce lieu soigné. La colonne baroque de la Trinité (1714) fut offerte à l'occasion de la nouvelle épidémie de peste en 1713.

Hôtel de ville

LAC SOUTERRAIN DANS LE HINTERBRÜHL (SEEGROTTE IN DER HINTERBRÜHL)

(BASSE-AUTRICHE) près de Mödling (commune limitrophe au sud de Vienne) En 1912, à la suite d'un dynamitage dans les mines de gypse, plus de 20 millions de lit-

res d'eau se déversèrent dans les veines et les galeries. C'est ainsi que se forma le plus grand lac souterrain d'Europe. Après la catastrophe, la mine fut fermée et ne fut découverte par des spéléologues et ouverte au public que dans les années 30. Pendant la Seconde Guerre mondiale, la «Seegrotte» fut réquisitionnée. Ses galeries bien protégées furent utilisées pour fabriquer les premiers chasseurs à réaction du monde. Le lac souterrain fut rouvert après la guerre et constitue aujourd'hui une attraction de premier ordre pour les touristes.

Promenade en bateau sur le lac souterrain

Maquette de chasseur à réaction HE 162

MAYERLING (BASSE-AUTRICHE)

Le simple château baroque de Mayerling devint en 1889 le lieu d'une tragédie restée inexpliquée encore aujourd'hui. Le 30 janvier, Rodolphe, fils de l'empereur François-Joseph et prince héritier, tua sa maîtresse, la baronne Mary Vetsera, d'un coup de feu avant de se donner la mort. L'empereur donna alors la propriété aux carmélites. Les appartements du prince héritier furent démolis. A leur place on peut aujourd'hui y voir le sanctuaire de l'église conventuelle.

HEILIGENKREUZ (PRES DE BADEN)

Le margrave Léopold III «le Saint» fonda cette abbaye cistercienne de la Sainte-Croix en 1133, à la demande de son fils Otto von Freising. L'abbaye tire son nom d'une particule de la Sainte Croix que Léopold V offrit en 1188. La collégiale «Ascension» date, pour ses parties romanes les plus anciennes, du 12è siècle. Le chemin de croix situé dans la partie sud de l'église et ses 300 colonnes de marbre fut construit entre 1220 et 1250. Dans les fenêtres de la Brunnenhaus (1295) on peut encore voir des vitraux d'origine. A la suite de leur destruction par les Turcs, de grands bâtiments neufs furent construits entre 1641 et 1674 et de 1683 à 1691. Quelques membres de la famille des Babenberg sont enterrés à Heiligenkreuz.

BADEN PRES DE VIENNE (BASSE-AUTRICHE)

Les Romains connaissaient déjà ces sources sulfureuses chaudes jaillissant ici du sol sur une faille géologique. Baden connut son apogée au 19è siècle. Pendant des décennies, la famille impériale choisit d'y séjourner l'été. Après l'incendie de 1812, la ville fut reconstruite selon les plans de J. Kornhäusel; les nobles et les gros bourgeois se firent construire d'imposantes villas. Les personnalités de l'art, de l'économie et de la politique s'y donnaient rendez-vous et profitaient de la force des sources. Jusqu'à aujourd'hui, la «résidence impériale du Biedermeier» est une ville thermale de renommée internationale.

Colonne de la Trinité

INDEX

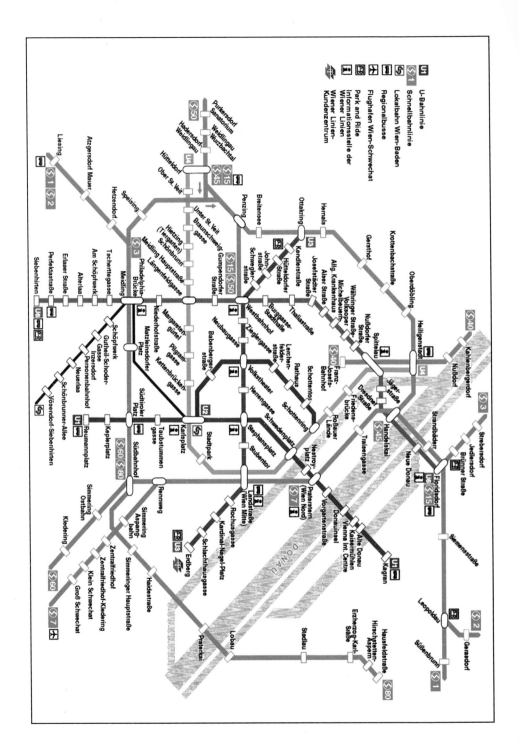

80